KB189471

慈悲道場懺法

耘虛 龍夏 譯

자비도량참법 **제9권 · 제10권**

찍은날 | 불기 2565년(서기2021년) 4월 4일
펴낸날 | 불기 2565년(서기2021년) 4월 18일

엮은이 | 운허 용하
펴낸이 | 김지숙
펴낸곳 | 북도드리
등록번호 | 제 2017-88호

전화 | 02) 868-3018
팩스 | 02) 868-3019
주소 | 서울 금천구 가산디지털 2로 98, B212(가산동, 롯데IT캐슬)
전자우편 | bookakdma@naver.com
I S B N | 979-11-964777-6-9 (14220)
I S B N | 979-11-964777-1-4 (전5권)
값 22,000원(전5권 1세트)

이 도서의 국립중앙도서관 출판예정도서목록(CIP)은 서지정보유통지원시스템 홈페이지(http://seoji.nl.go.kr)와 국가자료종합목록시스템(http://www.nl.go.kr/kolisnet)에서 이용하실 수 있습니다. (CIP제어번호 : CIP2019002231)

慈悲道場懺法

耘虛 龍夏 譯

제9권 / 제10권

차　　례

자비도량참법

慈悲道場懺法

제9권

25. 위아비지옥예불 爲阿鼻地獄禮佛

26. 위회화철환등지옥예불 爲灰河鐵丸等地獄禮佛

27. 위음동탄갱등지옥예불 爲飮銅炭坑等地獄禮佛

28. 위도병동부등지옥예불 爲刀兵銅斧等地獄禮佛

29. 위화성도산등지옥예불 爲火城刀山等地獄禮佛

30. 위아귀도예불 爲餓鬼道禮佛

31. 위축생도예불 爲畜生道禮佛

32. 위육도발원 爲六道發願

33. 경념무상 警念無常

34. 위집로운력예불 爲執勞運力禮佛

35. 발회향 發廻向

자비도량참법

慈悲道場懺法

제9권

찬 讚

108이여,

경을 수지하여 장도藏圖에 가득하니

재앙을 소멸하고 수명을 연장하는

약사유리광 부처님과

비로자나 여래의 마음 안에 있는

유가부瑜伽部와

대승경전과 아미타불께서

남방 용녀가

보리에 이르는 길을 증명하나니,

나무 보공양보살마하살 普供養菩薩摩訶薩(3번)

듣사오니,
도가 9천의 범천왕보다 뛰어나고
이름이 세상의 대웅大雄이시며
공功은 9유有의 중생을 초월하니
명호를 조어사調御師라 하시네.
9유幽의 세계에서 고통을 멸하며
9품연대에 중생을 섭수하기도 하고
아홉 단계의 차례를 1념에 뛰어넘고
9계의 색신을 인연 따라 보이시나니
광명은 법계를 포함하고
도력은 중생계를 초월하나니
만행의 장엄을 드리우사
9시時의 불사를 증명하소서.
지금 참회하는 저희 제자들
자비도량참법을 수행하오며
이제 제9권의 연기를 당하여
향·등·화·과香燈花果를 진열하며
다·미茶米의 진수를 받드옵고

한결같은 정성으로
3보전에 공양하오며
모든 생각 씻어버리고
지성으로 발로 참회하오니
법신은 동요하지 않고
법성은 고요하여
법과 법이 두루하와
법안法眼이 원명圓明하소서.
자마금신紫磨金身을 나투시며
백옥명호白玉明毫를 빛내시옵기
예배하여 귀의하오니
애민하여 섭수하사
제멸하지 못한 죄를 제멸하시고
참회하지 못한 허물 참제케 하소서.
생각건대 참회하는 저희들
수 없이 많은 겁을 지내도록
혼미한 곳에서 돌이키지 못하여
9계界의 인과를 모르니

무명이 덮이었고
9천泉의 괴로운 과보 믿지 않으니
삿된 소견이 마구 생겼나이다.
9부의 경전을 경멸輕蔑하며
마음대로 죄를 지었고
9결結의 번뇌에 얽히어
멋대로 허망한 짓을 하고
스스로를 칭찬하고 남을 훼방하며
남에게는 해롭게, 자기는 이롭게 하나니
혹은 말과 저울을 속이고
혹은 술과 색으로 혼미하여
티끌 세상의 짧은 즐거움을 탐하여
지옥의 극심한 고통 면치 못하네.
이제 삶을 돌이켜 허물 뉘우치고
다행히 공경하는 마음을 내어
진정한 복전에 귀의하고
참문을 의지하여 참회하며
크신 자비를 빌어

가피를 청하나이다.
백련대白蓮臺 위에 황금 상호요,
홍우화紅藕花 피니 자마금신이라,
어마어마한 상호 하늘 중의 하늘이요
훤칠하여 이름할 수 없어 성인 중의 성인이시네.

입참 入懺

자비도량참법을 수행하오며
3세 부처님께 귀의하나이다.

지심귀명례 과거 비바시불 過去毘婆尸佛
지심귀명례 시기불 尸棄佛
지심귀명례 비사부불 毘舍浮佛
지심귀명례 구류손불 拘留孫佛
지심귀명례 구나함모니불 拘那含牟尼佛
지심귀명례 가섭불 迦葉佛
지심귀명례 본사 석가모니불 本師釋迦牟尼佛

지심귀명례 당래 미륵존불 當來彌勒尊佛

25. 위아비지옥예불 爲阿鼻地獄禮佛

오늘, 이 도량의 동업대중이여, 3보께 귀의한 후부터 여기 이르도록 매양 만법이 차별하며 공용功用이 한결같지 아니하다고 말하나, 밝고 어두움이 서로 대하는 데는 선과 악 뿐이니, 선한 것은 인간이나 천상의 좋은 갈래요, 악한 것은 3악도의 다른 갈래라, 인의仁義를 수행하면 좋은 데 나고, 잔해殘害를 일으키면 나쁜 곳에 나느니라. 좋은 데 사는 이는 업이 선한 까닭이니 경쟁해서 얻는 것이니라. 자연의 즐거움을 받아 위가 없이 자재할 것이요, 나쁜 곳에 떨어지는 이는 업이 나쁜 까닭이니 화성火城이나 철망鐵網 속에 있게 되나니, 먹는 것은 철환과 뜨거운 쇠요, 마시는 것은 끓는 돌과 구리물이니라. 수명은 천지보다 오래고 겁수劫數는 무궁에 이르느니라.

또, 지옥의 고통은 부모 자식도 대신 받을 수 없나니,

영원히 이 몸 떠나면 식심이 저 곳에 나게 되어, 칼 바퀴가 신체에 더하고 불과 맷돌이 형상을 해롭게 하여 수명이 촉박하지 않아 오래오래 고통을 받으며, 비록 지옥을 면하더라도 다시 아귀에 태어나 입으로 불을 토하며, 목숨을 온전히 사는 것 아니며, 거기서 죽어서는 축생에 떨어져서 모든 고통을 받으며, 살은 남의 잔치에 공급하느라고 목숨은 제명대로 살지 못하며, 솥에 삶고 교자상에 올려놓이며, 혹 무거운 짐을 싣고 멀리 달리며, 험난한 데로 몰려다니나니, 실로 3악도의 고통이며, 긴 밤은 새기 어려우니라. 좋고 나쁜 것이 현저하건만, 믿는 이가 없고 '나' 라는 관념으로 의혹을 일으키며, 의혹 때문에 다분히 선한 일을 하지 못하느니라.

그러므로 부처님 말씀에, '세상에는 열 가지 일이 있는데 이로 인하여 죽어 나쁜 갈래에 들어가나니, 선한 일에 전심하지 못하여 공덕을 닦지 않으면, 음식을 탐내어 주린 호랑이 같으며, 주색에 빠져서 성내기를 좋아하며, 항상 우치하여 남의 충고를 듣지 않으며, 제 역량대로 나쁜 일을 함부로 하며, 살생하기를 좋아하고 연약한 이를 업신여기며, 악인과 당파를 지어 다른 이를 침해하며, 말하는 것이 진실하지 않으며 모든 이를 사랑하지 않고 악업을 일으키나니, 이런 사람은 오래 살지 못하고 죽어 악도에 들어가느니라.' 하셨다.

오늘, 이 도량의 동업대중이여, 부처님 말씀과 같으니 누가 능히 벗어나리오, 기왕 벗어나지 못한다면 지옥에 들어갈 죄가 있나니, 대중은 이 뜻을 각오하고 스스로 방일하지 말며, 시간을 다투어 보살도를 행할지니라. 바른 법을 부지런히 구하여 중생을 이롭게 하면, 1은 스스로 죄를 멸하고, 2는 다른 이의 복을 나게 하리니, 이러하면 자기도 이롭게 하고 남도 이롭게 하나니, 피차가 다를 것 없느니라. 서로서로 오늘부터 용맹심을 내고 견고한 마음을 내고 자비심을 내며, 모든 이를 제도하려는 마음과 중생을 구제하려는 마음으로, 도량에 앉을 때까지 이 소원을 잊지 말지니라.

시방의 다함없는 모든 부처님과 대보살들의 대신통력과 대자비력과 지옥을 해탈하는 힘과, 아귀를 제도하는 힘과, 축생을 구제하는 힘과, 대신주력大神呪力과 대위맹력을 받자와, 저희들로 하여금 하는 일이 이익 되고 소원을 성취하게 하리니, 다 같이 간절하게 5체투지하고 아비지옥에서 고통 받는 중생과, 내지 흑암지옥과 18한寒지옥과 18열熱지옥과 18도륜刀輪지옥과 검림劒林지옥과 화거火車지옥과 비시沸屎지옥과 확탕지옥과, 그에 딸린 8만4천의 지옥 중에서 고통 받는 일체중생들을 위하여 우리들은 보리심과 보리행과 보리원으로써 그들을 대신하여 세간의 대자대비하신 부처님께 귀의할지니라.

지심귀명례 미륵불 彌勒佛
지심귀명례 석가모니불 釋迦牟尼佛
지심귀명례 대음찬불 大音讚佛
지심귀명례 정원불 淨願佛
지심귀명례 일천불 日天佛
지심귀명례 요혜불 樂慧佛
지심귀명례 섭신불 攝身佛
지심귀명례 위덕세불 威德勢佛

지심귀명례 찰리불 刹利佛

지심귀명례 덕승불 德乘佛

지심귀명례 상금불 上金佛

지심귀명례 해탈계불 解脫髻佛

지심귀명례 요법불 樂法佛

지심귀명례 주행불 住行佛

지심귀명례 사교만불 捨憍慢佛

지심귀명례 지장불 知藏佛

지심귀명례 범행불 梵行佛

지심귀명례 전단불 栴檀佛

지심귀명례 무우명불 無憂名佛

지심귀명례 단엄신불 端嚴身佛

지심귀명례 상국불 相國佛

지심귀명례 연화불 蓮華佛

지심귀명례 무변덕불 無變德佛

지심귀명례 천광불 天光佛

지심귀명례 혜화불 慧華佛

지심귀명례 빈두마불 頻頭摩佛

지심귀명례 지부불 智富佛

지심귀명례 사자유희보살 師子遊戲菩薩

지심귀명례 사자분신보살 師子奮迅菩薩

지심귀명례 지장보살 地藏菩薩

지심귀명례 무변신보살 無邊身菩薩

지심귀명례 관세음보살 觀世音菩薩

또, 시방의 다함없는 모든 3보께 귀의 하옵나니, 원컨대 자비력으로 구제하여 접인 하소서. 바라건대 아비지옥과, 내지 흑암지옥 · 도륜 지옥 · 화거火車지옥 · 비시沸屎지옥과, 그에 딸린 지옥에서 고통 받는 중생이, 부처님의 힘과 법의 힘과 보살의 힘과 일체 성현의 힘으로 고통에서 곧 해탈하여 필경에 다시 지옥에 떨어지지 않고, 모든 죄장을 모두 소멸하고, 다시 지옥의 업을 짓지 않으며, 지옥에 나지 않고 정토에 왕생하며, 지옥의 명命을 버리고 지혜의 명을 얻으며, 지옥의 몸을 버리고 금강신을 얻으며, 지옥의 고苦를 버리고 열반의 즐거움을 얻으며, 지옥의 괴로움을 생각하고 보리심을 발하여 4무량심과 6바라밀이 항상 앞에 나타나며, 4무애지無碍智와 6신통력이 뜻과 같이 자재하며, 지혜를 구족하고 보살도를 행하며, 용맹 정진하여 쉬지 아니하며, 내지 닦아 나아가 10지의 행을 만족하여 금강심에 들어가 등정각을 이루어지이다.

26. 위회하철환등지옥예불 爲灰河鐵丸等地獄禮佛

오늘, 이 도량의 동업대중이여, 다시 지성으로 5체투지하고 회화灰河지옥과 검림劍林지옥과 자림刺林지옥과 동주銅柱지옥과 철기鐵機지옥과 철망鐵網지옥과 철굴鐵窟지옥과 철환鐵丸지옥과 첨석尖石지옥과, 시방의 다함없는 이 같은 일체의 지옥에서 금일 고통 받는 일체중생을 위하여 우리들은 보리심으로 세간의 대자대비하신 부처님께 귀의할지니라.

지심귀명례 미륵불 彌勒佛
지심귀명례 석가모니불 釋迦牟尼佛

지심귀명례 범재불 梵財佛

지심귀명례 보수불 寶手佛

지심귀명례 정근불 淨根佛

지심귀명례 구족론불 具足論佛

지심귀명례 상론불 上論佛

지심귀명례 불사불 弗沙佛

지심귀명례 제사불 提沙佛

지심귀명례 유일불 有日佛

지심귀명례 출니불 出泥佛

지심귀명례 득지불 得智佛

지심귀명례 모라불 謨羅佛

지심귀명례 상길불 上吉佛

지심귀명례 법락불 法樂佛

지심귀명례 구승불 求勝佛

지심귀명례 지혜불 智慧佛

지심귀명례 선성불 善聖佛

지심귀명례 망광불 網光佛

지심귀명례 유리장불 琉璃藏佛

지심귀명례 명문불 名聞佛
지심귀명례 이적불 利寂佛
지심귀명례 교화불 教化佛
지심귀명례 일명불 日明佛
지심귀명례 선명불 善明佛
지심귀명례 중덕상명불 衆德上明佛
지심귀명례 보덕불 寶德佛
지심귀명례 사자번보살 師子旛菩薩
지심귀명례 사자작보살 師子作菩薩
지심귀명례 무변신보살 無邊身菩薩
지심귀명례 관세음보살 觀世音菩薩

또, 시방의 다함없는 모든 3보께 귀의 하옵나니, 원컨대 자비력으로 가피하고 구제하소서. 바라건대 오늘 현재 회하지옥 등에서 고통 받는 일체중생들이 모두 해탈을 얻어 모든 괴로움의 과보가 영원히 소멸하고, 지옥의 업보가 필경에 청정하여 지옥의 몸을 버리고 금강신을 얻으며, 지옥고를 버리고 열반의 즐거움을 얻으며, 지옥의 괴로움을 생각하고 보리심을 발하여 함께 화택火宅에서 벗어나 도량에 이르러서 여러 보살들과 함께 정각正覺을 이루어지이다.

27. 위음동탄갱등지옥예불 爲飮銅炭坑等地獄禮佛

오늘, 이 도량의 동업대중이여, 다시 지성으로 5체투지하고, 시방의 다함없는 음동飮銅지옥 · 중합衆合지옥 · 규환叫喚지옥 · 대규환지옥 · 열熱지옥 · 대열지옥 · 탄갱炭坑지옥 · 소림燒林지옥과, 그에 딸린 이렇게 무량무변한 지옥에서 지금 고통을 받고 있는 중생을 위하여, 우리들은 보리심으로 그들을 대신하여 세간의 대자대비하신 부처님께 귀의할지니라.

지심귀명례 미륵불 彌勒佛
지심귀명례 석가모니불 釋迦牟尼佛
지심귀명례 인월불 人月佛
지심귀명례 라후불 羅睺佛

지심귀명례 감로명불 甘露明佛
지심귀명례 묘의불 妙意佛
지심귀명례 대명불 大明佛
지심귀명례 일체주불 一切主佛
지심귀명례 요지불 樂智佛
지심귀명례 산왕불 山王佛
지심귀명례 적멸불 寂滅佛
지심귀명례 덕취불 德聚佛
지심귀명례 천왕불 天王佛
지심귀명례 묘음성불 妙音聲佛
지심귀명례 묘화불 妙華佛
지심귀명례 주의불 住義佛
지심귀명례 공덕위취불 功德威聚佛
지심귀명례 지무등불 智無等佛
지심귀명례 감로음불 甘露音佛
지심귀명례 선수불 善手佛
지심귀명례 이혜불 利慧佛
지심귀명례 사해탈의불 思解脫義佛

지심귀명례 승음불 勝音佛

지심귀명례 이타행불 利陀行佛

지심귀명례 선의불 善義佛

지심귀명례 무과불 無過佛

지심귀명례 견용정진보살 堅勇精進菩薩

지심귀명례 금강혜보살 金剛慧菩薩

지심귀명례 지장보살 地藏菩薩

지심귀명례 무변신보살 無邊身菩薩

지심귀명례 관세음보살 觀世音菩薩

또, 시방의 다함없는 모든 3보께 귀의 하옵나니, 원컨대 자비력으로 가피하고 구제하소서. 바라건대 음동飮銅 지옥 등에서 현재 고통 받는 중생들의 일체 죄장이 모두 소멸하고, 일체의 고통을 모두 해탈하고, 금일부터 필경에 다시 지옥에 떨어지지 않으며, 지옥에 나지 않고 정토에 생을 얻으며, 지옥의 명命을 버리고 지혜의 명을 얻으며, 4무량심과 6바라밀이 항상 앞에 나타나며, 4무애변과 6신통력이 뜻과 같이 자재하며, 지옥도地獄道에서 벗어나

열반의 도를 얻어 여래와 같은 정각을 이루어지이다.

28. 위도병동부등지옥예불 爲刀兵銅斧等地獄禮佛

오늘, 이 도량의 동업대중이여, 다시 지성으로 시방의 다함없는 상想지옥 · 흑사黑砂지옥 · 정신釘身지옥 · 화정火井지옥 · 석구石臼지옥 · 비사沸砂지옥 · 도병刀兵지옥 · 기아飢餓지옥 · 동부銅斧지옥 등, 이 같이 무량한 지옥에서 지금 현재 고통 받는 중생들을 위하여 우리들은 금일 보리심의 힘으로 세간의 대자대비하신 부처님께 귀의할지니라.

지심귀명례 미륵불 彌勒佛
지심귀명례 석가모니불 釋迦牟尼佛
지심귀명례 화장불 華藏佛
지심귀명례 묘광불 妙光佛
지심귀명례 요설불 樂說佛
지심귀명례 선제불 善濟佛

지심귀명례 중왕불 衆王佛
지심귀명례 이외불 離畏佛
지심귀명례 변재일불 辨才日佛
지심귀명례 명문불 名聞佛
지심귀명례 보월명불 寶月明佛
지심귀명례 상의불 上意佛
지심귀명례 무외불 無畏佛
지심귀명례 대견불 大見佛
지심귀명례 범음불 梵音佛
지심귀명례 선음불 善音佛
지심귀명례 혜제불 慧濟佛
지심귀명례 무등의불 無等意佛
지심귀명례 금강군불 金剛軍佛
지심귀명례 보리의불 菩提意佛
지심귀명례 수왕불 樹王佛
지심귀명례 반타음불 槃陀音佛
지심귀명례 복덕력불 福德力佛
지심귀명례 세덕불 勢德佛

지심귀명례 성애불 聖愛佛

지심귀명례 세행불 勢行佛

지심귀명례 호박불 琥珀佛

지심귀명례 요화불 樂和佛

지심귀명례 기음개보살 棄陰盖菩薩

지심귀명례 적근보살 寂根菩薩

지심귀명례 지장보살 地藏菩薩

지심귀명례 무변신보살 無邊身菩薩

지심귀명례 관세음보살 觀世音菩薩

또, 시방의 다함없는 모든 3보께 귀의 하옵나니, 원컨대 자비력으로 가피하고 구호하소서. 바라건대 도병刀兵지옥 등, 일체 지옥과 그에 딸린 지옥에서 고통 받는 중생들이 금일 곧 해탈하여 모든 고통이 길이 끊어지고, 지옥의 연緣을 여의고 지혜가 나며, 지옥의 고통을 생각하고 보리심을 발하며, 보살행을 행하기를 쉬지 아니하고, 1승도에 들어가 10지행이 원만하고, 신통력으로 일체중생을 접인하여 함께 도량에 앉아서 정각에 올라 지이다.

29. 위화성도산등지옥예불 爲火城刀山等地獄禮佛

오늘, 이 도량의 동업대중이여, 다시 지성으로 시방의 다함없는 화성火城지옥 · 석굴石窟지옥 · 탕요湯澆지옥 · 도산刀山지옥 · 호랑虎狼지옥 · 철상鐵床지옥 · 열풍熱風지옥 · 토화吐火지옥과, 이같이 무량무변한 지옥에 딸린 지옥에서 지금 고통 받는 중생들을 위하여, 우리들은 보리심으로 세간의 대자대비하신 부처님께 귀의할지니라.

지심귀명례 미륵불 彌勒佛
지심귀명례 석가모니불 釋迦牟尼佛
지심귀명례 뇌음운불 雷音雲佛
지심귀명례 선애목불 善愛目佛
지심귀명례 선지불 善智佛
지심귀명례 구족불 具足佛
지심귀명례 덕적불 德積佛
지심귀명례 대음불 大音佛
지심귀명례 법상불 法相佛

지심귀명례 지음불 知音佛

지심귀명례 허공불 虛空佛

지심귀명례 사음불 祠音佛

지심귀명례 혜음차별불 慧音差別佛

지심귀명례 공덕광불 功德光佛

지심귀명례 성왕불 聖王佛

지심귀명례 중의불 衆意佛

지심귀명례 변재륜불 辯才輪佛

지심귀명례 선적불 善寂佛

지심귀명례 월면불 月面佛

지심귀명례 일명불 日名佛

지심귀명례 무구불 無垢佛

지심귀명례 공덕집불 功德集佛

지심귀명례 화덕상불 華德相佛

지심귀명례 변재국불 辨才國佛

지심귀명례 보시불 寶施佛

지심귀명례 애월불 愛月佛

지심귀명례 불고불 不高佛

지심귀명례 혜상보살 慧上菩薩
지심귀명례 상불리세보살 常不離世菩薩
지심귀명례 지장보살 地藏菩薩
지심귀명례 무변신보살 無邊身菩薩
지심귀명례 관세음보살 觀世音菩薩

또, 시방의 다함없는 모든 3보께 귀의 하옵나니, 원컨대 자비력으로 가피하고 섭수하소서. 바라건대 도산刀山 등의 지옥에서 현재 고통 받는 중생들이 곧 해탈을 얻으며, 내지 시방의 말로 다할 수 없이 많은 모든 지옥에서 지금 고통을 받는 이와, 장차 고통 받을 일체중생이 부처님의 힘과 법의 힘과 보살의 힘과 성현의 힘으로 함께 해탈을 얻어, 영원히 시방의 여러 지옥의 업이 끊어지고, 오늘부터 도량에 이르도록 다시 3악도에 떨어지지 아니하며, 몸을 버리고 몸을 받을 적에도 항상 부처님을 만나 지혜를 구족하고, 청정하고 자재하며, 용맹하게 정진하여 쉬지 아니하고, 내지 닦아 나아가서 10지의 행을 만족하고 금강심金剛心에 오르며, 부처님의 지혜에 들어가 부처님의 위신력으로 마음대로 자재하여지이다.

30. 위아귀도예불 爲餓鬼道禮佛

오늘, 이 도량의 동업대중이여, 다시 지성으로 5체투지 하고, 시방의 다함없는 모든 아귀도餓鬼道의 아귀신 등과 일체 아귀와 그 권속들을 위하여 우리들은 오늘 보리심으로 세간의 대자대비하신 부처님께 귀의할지니라.

지심귀명례 미륵불 彌勒佛
지심귀명례 석가모니불 釋迦牟尼佛
지심귀명례 사자력불 師子力佛
지심귀명례 자재왕불 自在王佛
지심귀명례 무량정불 無量淨佛
지심귀명례 등정불 等定佛
지심귀명례 불괴불 不壞佛
지심귀명례 멸구불 滅垢佛
지심귀명례 부실방편불 不失方便佛

지심귀명례 무요불 無撓佛
지심귀명례 묘면불 妙面佛
지심귀명례 지제주불 智制住佛
지심귀명례 법사왕불 法師王佛
지심귀명례 대천불 大天佛
지심귀명례 심의불 深意佛
지심귀명례 무량불 無量佛
지심귀명례 법력불 法力佛
지심귀명례 세공양불 世供養佛
지심귀명례 화광불 華光佛
지심귀명례 삼세공불 三世供佛
지심귀명례 응일장불 應日藏佛
지심귀명례 천공양불 天供養佛
지심귀명례 상지인불 上智人佛
지심귀명례 진계불 眞髻佛
지심귀명례 신감로불 信甘露佛
지심귀명례 금강불 金剛佛
지심귀명례 견고불 堅固佛

지심귀명례 약왕보살 藥王菩薩
지심귀명례 약상보살 藥上菩薩
지심귀명례 지장보살 地藏菩薩
지심귀명례 무변신보살 無邊身菩薩
지심귀명례 관세음보살 觀世音菩薩

또, 시방의 다함없는 모든 3보께 귀의 하옵나니, 원컨대 자비력으로 가피하고 섭수하소서. 바라건대 동서남북 · 4유維 · 상하上下와 다함없는 시방十方 법계의 모든 아귀도의 일체 아귀신과 각각 권속들과 일체 아귀와 각각 권속들의 일체 죄장을 다 소멸하며, 모든 고통을 모두 해탈하며, 몸과 마음이 청정하며 다시 번뇌가 없고, 몸과 마음이 배불러서 다시 기갈이 없으며, 감로를 얻고 지혜의 눈이 열리며, 4무량심과 6바라밀이 항상 앞에 나타나며, 4무애지와 6신통력이 뜻과 같이 자재하여, 아귀도를 떠나서 열반에 들어가 모든 부처님과 함께 정각을 이루어지이다.

31. 위축생도예불 爲畜生道禮佛

오늘, 이 도량의 동업대중이여, 다시 지극한 마음으로 5체투지하고, 동서남북·4유·상하와 이같이 시방의 다함없는 모든 축생도의 4생生의 중생과, 크고 작은 수륙공계水陸空界의 일체중생과, 그 권속들을 위하여 우리는 오늘 자비력으로 세간의 대자대비하신 부처님께 귀의할지니라.

지심귀명례 미륵불 彌勒佛
지심귀명례 석가모니불 釋迦牟尼佛
지심귀명례 보견명불 寶肩明佛
지심귀명례 이타보불 利陀步佛
지심귀명례 수일불 隨日佛
지심귀명례 청정불 淸淨佛
지심귀명례 명력불 明力佛
지심귀명례 공덕취불 功德聚佛
지심귀명례 구족덕불 具足德佛

지심귀명례 사자행불 師子行佛

지심귀명례 고출불 高出佛

지심귀명례 화시불 華施佛

지심귀명례 주명불 珠明佛

지심귀명례 연화불 蓮華佛

지심귀명례 애지불 愛智佛

지심귀명례 반타엄불 盤陀嚴佛

지심귀명례 불허행불 不虛行佛

지심귀명례 생법불 生法佛

지심귀명례 상명불 相明佛

지심귀명례 사유락불 思惟樂佛

지심귀명례 요해탈불 樂解脫佛

지심귀명례 지도리불 知道理佛

지심귀명례 상정진보살 常精進菩薩

지심귀명례 불휴식보살 不休息菩薩

지심귀명례 지장보살 地藏菩薩

지심귀명례 무변신보살 無邊身菩薩

지심귀명례 관세음보살 觀世音菩薩

또, 시방의 다함없는 모든 3보께 귀의 하옵나니, 원컨대 자비력으로 가피하고 섭수하소서. 바라건대 동서남북·4유·상하 등, 다함없는 모든 축생도의 4생生의 중생과 그 권속들의 일체 죄장을 모두 소멸하고 모든 고통을 다 해탈하여, 함께 악취를 버리고 도과道果를 얻으며, 몸과 마음이 3선천禪天과 같이 안락하며, 4무량심과 6바라밀이 항상 앞에 나타나며, 4무애지와 6신통력이 뜻과 같이 자재하여, 축생도를 여의고 열반도에 들어가며, 금강심에 올라서 등정각을 이루어지이다.

32. 위육도발원 爲六道發願

저희들은 지금, 천인과 신선과 용신 8부를 위하여 예불한 공덕의 인연으로 시방의 다함없는 4생 6도의 미래 세계가 끝나기까지, 중생이 오늘부터 보리에 이르도록 다시는 형체를 잘못 받아 모든 고초를 받지 않으며, 다시는 10악과 5역죄를 지어 3악도에 들어가지 말고 지금의 예불한 공덕 인연을 힘입어 각각 보살마하살의 몸과 입의 업이 깨끗함을 얻으며, 각각 보살마하살의 큰 마음을 얻되 대지大地와 같은 마음으로 모든 선근을 내고, 바다와 같은 마음으로 부처님들의 지혜의 법을 받아 지니고, 수미산 같은 마음으로 모든 이들이 무상보리에 머물고, 마니보배같은 마음으로 번뇌를 멀리 여의고, 금강같은 마음으로 모든 법을 결정하고, 견고한 마음으로 마군과 외도들이 능히 파괴하지 못하고, 연꽃같은 마음으로 모든 법에 물들지 아니하고, 우담바라같은 마음으로 오랜 겁 동안 만나기 어렵고, 깨끗한 해같은 마음으로 모든 어리석은 장애를 제멸하고, 허공같은 마음이어서 일체중생들이 측량하지 못하기를 원합니다.

또, 4생 6도의 모든 중생들이 오늘부터 인식하는 성품을 생각하며, 결정코 신해하는 성품을 생각하여 희론戱論을 버리고 법문을 생각하며, 가진 것을 모두 보시하되 아끼는 마음이 없으며, 마음이 용맹하여 겁약한 생각이 없으며, 수행한 공덕을 여럿에게 보시하며, 삿된 도로 돌아가지 않고 일심으로 정도를 향하며, 선함을 보고는 보살의 화현化現같이 여기고, 악한 일을 보고는 꿈과 같이 여기며, 생사를 버리고 3계에서 벗어나, 깊고 묘한 법을 분명하게 관찰하며, 모든 부처님께 공양하되 모든 공양구가 다 만족하며, 모든 법보에게 공양하되 모든 공양구가 다 만족하며, 모든 보살에게 공양하되 모든 공양구가 다 만족하며, 모든 성현에게 공양하되 모든 공양구가 다 만족하며, 만약 뒤에 오는 일체중생 가운데 저희들의 오늘의 소원과 다른 이가 있으면 그 모두로 하여금 대원해중에 들어가 곧 공덕과 지혜를 성취하고 부처님의 신력으로 마음대로 자재하여 여래와 더불어 함께 정각을 이루어지이다.

33. 경념무상 警念無常

오늘, 이 도량의 동업대중이여, 우리들이 이미 6도를 위하여 예참하고 발원하였으니, 이제는 모름지기 세상이 무상함을 각오할 것이니라. 3세의 죄와 복은 원인과 결과로 생기는 것이니, 측은한 마음이 있어서 서로 막히지 아니하며, 항상 생각하기를, '그림자와 메아리같아 서로 부합하지만, 북호北胡와 남월南越같이 현격하리라' 할 것이며, 선과 악의 관계는 어길 수 없느니라.

바라건대 대중들은 이 무상함을 각오하고 부지런히 행업을 닦아 스스로 몸을 도와야 하고, 노력하기를 게을리 하지 말아야 하느니라. 지혜 있는 이는, 가령 천만억 년을 두고 5욕락을 받더라도, 필경에는 3악도의 고통을 면하지 못하는 것을 항상 탄식하느니라. 하물며 우리는 백 년에 반도 못 사나니, 이렇게 촉박한 세월에 어떻게 너그러움을 얻겠는가. 또 세간은 환상이며 의혹이니, 마침내는 없어지는 것이어서 있는 것은 없어지고 높던 것은 떨어지며, 모이면 헤어지고, 태어나면 죽는 것이니라. 부모 형제와 처자 권속의 사랑이 뼈에 사무치나 목숨을 버릴 적에는 서로 대신할 수 없으며, 고관대작과 부귀영화와 돈과 보물도 사람의 수명을 연장할 수 없고, 또 말이나 음식으로 청탁하여 벗어날 수도 없는 것이니, 형상이 없는 상태를 누가 능히 머물게 하겠는가.

경에 말씀하시기를, '죽는 것은 없어지는 것이니, 숨이 끊어지고 정신이 떠나가면 몸뚱이는 쓸쓸하여져서, 사람이나 물건이 한 가지 계통이라, 태어나는 이로서 죽지 않는 이가 없으며, 목숨이 끊어질 적에는 무한한 고통을 받나니, 내외 6친은 둘러앉아 통곡하고, 죽는 이는 황황하여 의지할 데를 모르느니라. 신체가 허냉虛冷하며 기운이 끌나려 할 때 평생에 지은 선악의 업보가 눈에 가득한데 선한 일을 한 이는 천신이 보호하고, 악한 일을 한 이는 우두 옥졸이 몰아가나니, 옥졸과 나찰은 조금도 용서가 없고, 부모와 효자도 서로 구원할 수 없으며, 남편과 아내 사이의 은혜와 사랑도 마주보면서 끊어지나니, 바람같이 몸을 오려낼 적에 그 고통은 이루 말할 수 없느니라. 그 때에 죽는 이는 간담이 마디마디 찢어지고, 한량없는 고통이 한꺼번에 모여들거든, 정신이 산란하여 취한 듯 미친 듯 할 때에, 그제야 한 생각 선한 마음을 일으켜 털끝만한 복을 지으려 한들, 한탄이 마음속에 있으나 다시 어찌할 수 없나니, 이런 고통을 누가 대신할 수 있으리오.' 하였다.

열반경에 일렀으되, '죽은 이는 험난한 곳에서 양식은 없고 갈 길은 먼데 동행자는 없으며, 밤낮으로 가지만 끝이 없고 깊고 어두워 광명이 없으며, 들어가도 막는 이가 없고, 도달하고도 벗어나지 못하나니, 살아서 복을 닦지 못하면 죽어서는 고통 받는 곳으로 가게 되어 괴롭고 신산함을 고칠 수 없나니, 이는 악惡이 사람을 두렵게 하는 것이라.' 하였느니라.

오늘, 이 도량의 동업대중이여, 생사의 과보는 고리 같아서 끝이 없으며, 고혼이 혼자 가는데 보는 사람도 없으니, 찾을 사람도 없고, 의지할 물건도 없느니라. 오직 노력하여 수고로움을 무릅쓰고 괴로움을 참으며, 4무량심과 6바라밀을 부지런히 닦아서, 여러 갈래로 혼자 다니는데 자량資糧을 삼을 것이요, 강건하다고 안심할 것이 아니니, 각각 지극한 마음으로 다 같이 간절하게 5체투지하고, 세간의 대자대비하신 부처님께 귀의할지니라.

지심귀명례 미륵불 彌勒佛

지심귀명례 석가모니불 釋迦牟尼佛

지심귀명례 다문해불 多聞海佛

지심귀명례 지화불 持華佛

지심귀명례 불수세불 不隨世佛

지심귀명례 희중불 喜衆佛

지심귀명례 공작음불 孔雀音佛

지심귀명례 불퇴몰불 不退沒佛

지심귀명례 단유애구불 斷有愛垢佛

지심귀명례 위의제불 威儀濟佛

지심귀명례 무동불 無動佛

지심귀명례 제천유포불 諸天流布佛

지심귀명례 보보불 寶步佛

지심귀명례 화수불 華手佛

지심귀명례 위덕불 威德佛

지심귀명례 파원적불 破怨賊佛

지심귀명례 부다문불 富多聞佛

지심귀명례 묘국불 妙國佛

지심귀명례 화명불 華明佛

지심귀명례 사자지불 師子智佛

지심귀명례 월출불 月出佛

지심귀명례 멸암불 滅闇佛

지심귀명례 사자유희보살 師子遊戲菩薩

지심귀명례 사자분신보살 師子奮迅菩薩

지심귀명례 무변신보살 無邊身菩薩

지심귀명례 관세음보살 觀世音菩薩

또, 시방의 다함없는 모든 3보께 귀의 하옵나니, 원컨대 자비력으로 가피하고 두호하소서. 바라건대 오늘 이 도량에서 함께 참회하는 이들이 금일부터 보리에 이르도록 모든 죄의 원인과 무량한 괴로운 과보가 모두 제멸하고, 번뇌의 맺힌 업이 필경까지 청정하여 여러 부처님의 법회에 항상 참여하며, 보살도를 행하여 자재하게 태어나되, 자비희사와 6바라밀을 말씀한대로 수행하며, 4무애변과 6신통이 모두 만족하며, 백천 삼매가 한 생각에 앞에 나타나서, 모든 총지문總持門에 들어가지 못함이 없으며, 빨리 도량에 올라가서 등정각을 이루어지이다.

34. 위집로운력예불 爲執勞運力禮佛

오늘, 이 도량의 동업대중이여, 다시 지성으로 자비심을 일으키고 원수라든가 친하다는 생각이 없으며, 오늘 설익은 모든 것을 돌이켜 익게 하고, 노동하기를 기뻐하며, 애를 쓰고 운력하여 복업 닦음을 도와주는 이와, 각각 권속들을 위하며, 또 이 세상의 감옥에 갇혀 근심하고 곤액困厄을 당하는 이와, 모든 형벌을 집행하는 이들을 위하여, 그 살아가는 것을 생각하면, 비록 사람이 되었으나 낙이 적고 고가 많으며, 칼을 씌우고 수갑을 채우는 것이 몸에서 떠날 때가 없으며, 혹 이 세상에서 악업을 지었거나, 혹 과거의 허물을 면할 듯 하지만 스스로 발명할 것이 없으며, 중죄로 죽게 될 것을 구원할 이가 없는, 이러한 중생과 그 권속들을 위하여, 우리들이 금일에 자비한 마음으로 그들을 위하여 일체 세간의 대자대비하신 부처님께 귀의할지니라.

지심귀명례 미륵불 彌勒佛

지심귀명례 석가모니불 釋迦牟尼佛

지심귀명례 차제행불 次第行佛

지심귀명례 복덕등불 福德燈佛

지심귀명례 음성치불 音聲治佛

지심귀명례 교담불 橋曇佛

지심귀명례 세력불 勢力佛

지심귀명례 신심주불 身心住佛

지심귀명례 선월불 善月佛

지심귀명례 각의화불 覺意華佛

지심귀명례 상길불 上吉佛

지심귀명례 선위덕불 善威德佛

지심귀명례 지력덕불 智力德佛

지심귀명례 선등불 善燈佛

지심귀명례 견행불 堅行佛

지심귀명례 천음불 天音佛

지심귀명례 안락불 安樂佛

지심귀명례 일면불 日面佛

지심귀명례 요해탈불 樂解脫佛

지심귀명례 계명불 戒明佛

지심귀명례 주계불 住戒佛

지심귀명례 무구불 無垢佛

지심귀명례 사자번보살 師子旛菩薩

지심귀명례 사자작보살 師子作菩薩

지심귀명례 무변신보살 無邊身菩薩

지심귀명례 관세음보살 觀世音菩薩

또, 시방의 다함없는 모든 3보께 귀의 하옵나니, 원컨대 자비하신 힘으로 가피하고 두호하소서. 바라건대 금일에 노동하며 따라 기뻐하는 이와 그 권속들이 오늘부터 보리에 이르도록 모든 죄와 업장이 소멸하고, 모든 고통을 필경까지 해탈하며, 수명이 연장하고 몸과 마음이 안락하며, 영원히 재액을 여의고 다시 번뇌가 없으며, 대승심을 발하고 보살행을 닦으며, 6바라밀과 자비희사가 모두 구족하고, 생사의 괴로움을 버리고 열반의 즐거움을 얻으며, 또 천하의 감옥과 여러 가지 형벌과 죄수들을 가두는 일과, 근심과 곤액과, 모든 질병이 있어 자재하지 못하는 이와 그 권속들이, 지금 그를 위하여 예불한 공덕과 위력으로 모든 괴로움을 다 해탈하고, 악업의 대상들을 필경에 끊어버리고, 감옥에서 벗어나 선한 법문에 들어가서 수명이 무궁하고 지혜가 무진하며, 몸과 마음이 3선천禪天과 같이 즐겁고, 감옥의 고통을 생각하고 부처님의 은혜를 염念하며, 나쁜 행을 고치고 선한 일을 닦아서, 대승심을 발하고 보살도를 행하며, 금강의 세계에 들어가 도리어 일체중생을 제도하며 함께 정각에 올라서 신력이 자재하여지이다.

35. 발회향 發廻向

오늘, 이 도량의 동업대중이여, 이미 발심하여 할 일을 다 하였으니, 이제는 모름지기 이전의 공덕으로 회향심을 발하리라. 무슨 까닭인가. 모든 중생이 능히 해탈하지 못함은 다 과보에 집착하여 버리지 못하는 까닭이니, 만일 조그만 복이나 털끝만한 선이라도 능히 회향하는 이가 있으면, 과보에 대하여 다시 집착을 내지 않고 문득 해탈하여 우유자재優遊自在하리라.

그러므로 경에서는, '수행하여 회향함이 큰 이익이 된다.' 하였느니라. 그러므로 오늘 마땅히 회향할 것을 발하고, 겸하여 여럿에게 권하여 과보에 집착하지 말게 할지니라. 우리들은 서로서로 지극한 마음으로 5체투지하고 세간의 대자대비하신 부처님께 귀명하고 예경할지니라.

지심귀명례 미륵불 彌勒佛
지심귀명례 석가모니불 釋迦牟尼佛
지심귀명례 견출불 堅出佛
지심귀명례 안사나불 安闍那佛
지심귀명례 증익불 增益佛
지심귀명례 향명불 香明佛
지심귀명례 위람명불 違藍明佛
지심귀명례 염왕불 念王佛
지심귀명례 밀발불 蜜鉢佛
지심귀명례 무애상불 無碍相佛

지심귀명례 신계불 信戒佛

지심귀명례 지묘도불 至妙道佛

지심귀명례 요실불 樂實佛

지심귀명례 명법불 明法佛

지심귀명례 구위덕불 具威德佛

지심귀명례 지적멸불 至寂滅佛

지심귀명례 상자불 上慈佛

지심귀명례 대자불 大慈佛

지심귀명례 감로왕불 甘露王佛

지심귀명례 미루명불 彌樓明佛

지심귀명례 성찬불 聖讚佛

지심귀명례 광조불 廣照佛

지심귀명례 문수사리보살 文殊師利菩薩

지심귀명례 보현보살 普賢菩薩

지심귀명례 무변신보살 無邊身菩薩

지심귀명례 관세음보살 觀世音菩薩

또, 시방의 다함없는 모든 3보께 귀의 하옵나니, 원컨대 자비하신 힘으로 가피하고 두호하사, 일체의 행과 원을 모두 원만케 하여 지이다.

오늘, 이 도량의 동업대중이여, 금일부터 보리에 이르도록 보살도를 닦되 물러가지 말고, 먼저 중생을 제도한 뒤에 성불할지니라. 만일 도를 얻지 못하고 중간에 생사에 걸리는 이는 이 원력으로 이 대중들이 태어나는 곳마다, 몸과 입과 뜻으로 짓는 업이 항상 청정하며, 유연한 마음과 조화된 마음과 방일하지 아니한 마음과 적멸한 마음과 참된 마음과 잡란하지 않은 마음과 간탐이 없는 마음과 크게 수승한 마음과 대자비심과 평안히 머무는 마음과 환희한 마음과 모든 중생을 먼저 제도하려는 마음과 일체를 수호하는 마음과 보리를 수호하는 마음과 부처님과 같으려는 마음과, 이 같이 광대하고 오묘한 마음을 발하고 다문多聞을 구하여 탐욕을 여의는 정定을 닦으며, 일체중생을 요익하고 안락케 하며, 보리원을 버리지 말고 함께 정각을 이룰지니라.

대발회향법 代發廻向法

오늘, 이 도량의 동업대중이여, 서로 호궤하고 합장하고 마음으로 생각하며 입으로 말하되, 내가 하는대로 따라 할지니라.

시방의 천인과 신선들이
가지고 있는 공덕의 업을
내가 지금 그를 위해 회향하여
함께 정각의 도에 돌아가며

시방의 용과 귀신들이
가지고 있는 훌륭한 선업을
내가 지금 그를 위해 회향하여
함께 1승의 도에 돌아가며

시방의 모든 인간 세계의 왕이
닦은바 보리의 업을

내가 지금 그를 위해 회향하여
함께 무상도에 돌아가며

6도의 중생들이
가지고 있는 조그만 선업도
내가 지금 그를 위해 회향하여
함께 무상도에 돌아가며

시방의 불제자와
선래비구善來比丘의 무리와
집착함이 없는 네 무리의 사문과
연각을 구하는 이들이

드러나거나 은밀하게 중생을 교화하며
인연법을 분명히 밝히고 아는
이러한 모든 것을
다 불도로 회향하며
시방의 모든 보살들이

경을 독송하고 수지하며
선정에 들고 선정에서 나오는
모든 선善을 권하며 행하던

이러한 3승들의
모든 공덕의 근본을
모두 중생에게 회향하여
함께 무상도에 돌아가며

하늘에서나 인간에서나
성인의 도를 닦은 모든 선업을
내가 모두 권하여 회향하여
함께 무상도에 돌아가며

발심하고 참회하여
스스로 행하고, 남에게도 권하여 행한
그러한 털끝만한 복이라도
모두 회향하여 중생에게 돌리며

부처 되지 못한 중생이 있으면
보리원을 버리지 않고
모든 이가 다 성불한 연후에
정각에 오르려 하오니

원컨대 부처님과 보살과
무루無漏의 여러 성인들은
이 세상에서나 후생에서나
섭수하여 주시옵소서.

오늘, 이 도량의 동업대중이여, 서로 지극한 마음으로 5체투지하고 부모 친척을 위하여 회향하고, 스승과 동학을 위하여 회향하고, 시주와 단월과 선지식 · 악지식을 위하여 회향하고, 호세 4천왕을 위하여 회향하고, 시방의 마왕을 위하여 회향하며, 또 총명 정직聰明正直한 사람과 천지 허공과 선을 권장하고 악을 벌하는 이와 주문을 수호하는 이와 5방 용왕과 용신 8부를 위하여 회향하며, 또 감추어졌거나 나타난 일체 영기靈祇를 위하여 회향하며,

또 시방의 다함없는 모든 중생을 위하여 회향할지니라.

오직 원하오니, 시방의 제천과 신선들과 용신 8부와 일체중생이 금일부터 보리에 이르도록 항상 무상無相을 알고 다시 집착하지 않게 하여 지이다.

찬 讚

3악도의 혹심한 과보
괴로움 감당키 어렵나니
한 생각으로 말미암아 재앙을 부른 것,
세상의 무상함을 경책하고
대의왕大醫王에게 기원하여
자비한 교화가 길이 유전할지어다.
나무 선혜지보살마하살 善彗地菩薩摩訶薩(3번)

출참 出懺

9품도사를 9극極 6천天이 받들어 모시고
9계界의 인자한 이들, 9종의 아라한이 따라 모시나니
원컨대 부처님은 구중궁궐에 향복享福하고
중생을 제도하여 9품연대에 오르소서.
공이 9유有에 뛰어나고
도가 9천天을 초월하시니
바라옵건대 대각이시여,
이 참회를 증명하소서.
이제까지 참회하는 저희들
양황참법을 수행하려고
용궁해장의 글을 외우면서
제9권을 당하였으니
들고 나는 2시에
공행功行이 끝나나이다.
부처님을 대하여
머리 조아려 귀의하오며
전단향을 사루고
좋은 과실을 이바지하며

차를 달여 혼침한 맛을 깨우고
등을 켜서 캄캄한 밤을 깨트리나니
신기한 꽃은 천기天機를 다투고
범패는 신성의 풍악을 전하며
지성으로 6념念하고
선관禪觀하는 일심으로
사량하고 계교하여
모두 회향하옵나니,
대승 보살과 성문과 아라한과
여러 천인들이
경천위지經天緯地하여
음양陰陽을 맡으시었나니
천기를 저울질하는 조화신과
8부 용사들은
이 마음을 감찰하고
참된 즐거움을 돌보시어
참회하는 저희들
업장을 참제케 하고

길상을 얻게 하며,

9품연대에 오르려 하오니

얽어 맺힌 죄업은 이제부터 풀리고

어두운 악취에서 헤매는 일 초월하여

9지地의 현혹見惑에 걸리지 말고

9품의 연화 세계에 빨리 이르러

아홉 가지 공로 초월하고

아홉 가지 덕을 장엄하여지이다.

두 번 세 번 정성 드리오나

망정妄情이 어긋날까 두려워

다시 대중에 청하여

거듭거듭 참회하나이다.

찬 讚

양황참 9권의 공덕으로

저희들 망령의 아홉 번 맺힌 죄 소멸되고,

보살의 선혜지善彗地 증득하며,

참문을 외우는 곳에 죄의 꽃이 스러지며,
원결을 풀고 복이 더하여
도리천에 왕생하였다가
용화회상에서 다시 만나
미륵 부처님의 수기를 받아 지이다.
나무 용화회보살마하살 龍華會菩薩摩訶薩(3번)

거찬 擧讚

양황참 제9권 모두 마치고
4은恩과 3유有에 회향하오니
참회하는 저희들
수복이 증장하며
망령들은 정토에 왕생하여지이다.
선혜지보살, 어여삐 여기사 거두어 주소서.
나무 등운로보살마하살 登雲路菩薩摩訶薩(3번)

자비도량참법

慈悲道場懺法

제10권

자비도량참법

慈悲道場懺法

제10권

찬 讚

옷을 공양하오니
명주와 비단과 항라와 갑사
소금괘자銷金掛子 그리기 어려워
용녀는 금실로 수건을 짜고
바사익왕은 가사를 희사하고
마명보살이 신통을 서원했네.
나무 보공양보살마하살 普供養菩薩摩訶薩(3번)

듣사오니,
열 가지 명호를 구족하신 석가세존

연꽃 위에서 정각 이루시고
열 가지 몸 갖추신 조어사調御師
티끌 속에서 법륜 굴리시니
광명이 시방에 두루하고
방편은 10지地를 초월하시네.
10바라밀이 구족하여
10대원왕大願王이라 일컫나니
바라건대 크신 자비로
통촉하옵소서.
지금 참회하는 저희 제자들
자비도량참법을 수행하오며
이제 제10권의 연기를 당하여
일편단심으로 열 가지 공양 차리어
시방 3보께 받들어 올리고
10권의 참문을 수련하오며
10과科의 참법을 따라
10전纏의 죄를 풀려 하나이다.
생각건대 저희 제자들이

과거에 지은 원인으로

금생의 과보 받음에

10선善의 정인正因을 모르고

10악惡의 업을 지었사오니

10전纏에 얽힌 것

쇠사슬의 이은 고리요

열 가지 습기로 익혀온 일

불에 덤비는 나비와 같아

점점 백천 가지 형상이 되고

다시 무량한 죄업을 이루니

애견愛見을 잊지 못하고

탐심은 만족하기 어려워

불같은 진심은 보리의 종자를 태우고

죄업의 바람에 공덕의 숲이 쇠잔하여

세월이 오래 되고서야

비로소 허물을 알았으나

광음光陰이 빨라

옛날의 잘못을 이제야 깨달으니

이제 참회의 문을 열어
수련하는 차례를 알고
스님네를 의지하여
참문을 읽으며
엄숙히 불사를 닦고
무궁한 법리法利를 지으며
거듭거듭 생각을 가다듬고
한결같이 정성을 다하오니
부처님께 자비를 드리우사
명훈가피하소서.

한 생각에 무량한 겁을 두루 살피니
가지도 않고 오지도 않고 머물지도 않아
이와 같이 3세의 일을 알기만 하면
방편을 뛰어넘어 10력力을 이루리.

입참 入懺

자비도량참법을 수행하오며
3세 부처님께 귀의하나이다.

지심귀명례 과거 비바시불 過去毘婆尸佛
지심귀명례 시기불 尸棄佛
지심귀명례 비사부불 毘舍浮佛
지심귀명례 구류손불 拘留孫佛
지심귀명례 구나함모니불 拘那含牟尼佛
지심귀명례 가섭불 迦葉佛
지심귀명례 본사 석가모니불 本師釋迦牟尼佛
지심귀명례 당래 미륵존불 當來彌勒尊佛

36. 보살회향법 菩薩廻向法

오늘 이 도량의 동업대중이여, 우리들이 피로함을 견디고 고통을 참으며, 이같이 무량한 선근을 닦았으니, 다시 사람마다 생각하기를, '내가 닦은 선근으로 일체중생을 이익케하여 여러 중생들을 끝까지 청정케 하며, 내가 참회한 선근으로 모든 중생들이 다 지옥과 아귀와 축생과 염라왕들의 한량없는 괴로움을 멸제하며, 이 참법이 모든 중생들의 큰 저택邸宅이 되어 괴로움을 멸하며, 큰 구호자가 되어 먼저 해탈케 하며, 귀의할 곳이 되어 공포를 여의게 하며, 크게 머물러 있을 갈래가 되어 지혜에 이르게 하며, 안락한 곳이 되어 구경의 안락을 얻게 하며, 큰 등불이 되어 끝까지 밝고 깨끗한 곳에 머물게 하며, 큰 도사가 되어 방편문에 들어가서 깨끗한 지혜를 얻게 하여 지이다.' 할지니라.

오늘 이 도량의 동업대중이여, 이 같은 모든 법으로 보살마하살은 원수와 친한 이를 위하여 여러 가지 선근으로 함께 회향하여, 모든 중생에게 평등하여 차별이 없고, 평등하게 관찰하는 데 들어가서 원수라든가 친한 이라는 생각이 없으며, 항상 사랑하는 눈으로 모든 중생을 보느니라. 만일 중생이 원한을 품고, 보살에 대하여 악하고 거역하는 마음을 가지거든, 보살은 참으로 선지식이 되어 마음을 잘 조복하고서 깊은 법을 연설하나니, 마치 큰 바다를 온갖 독으로도 능히 파괴할 수 없는 것과 같으니라. 보살도 그와 같아서, 가령 우치하고 지혜가 없어 은혜를 갚을 줄 모르는 중생이 한량없이 악한 마음을 가지더라도, 능히 보살의 도심道心을 동요할 수 없느니라. 마치 아침 해가 모든 중생에게 두루 비치는데, 눈이 없는 사람에게 광명을 숨기지 않는 것 같이, 보살의 도심도 그와 같아서, 나쁜 사람이라고 해서 물러가는 것이 아니며, 중생을 조복하기가 어렵다고 해서 선근을 버리지 않느니라.

보살 마하살이 여러 가지 선근으로 신심이 청정하여 자비를 기르고 모든 선근으로써 중생을 위하여 깊은 마음으로 회향하나니, 입으로 말만 하는 것이 아니라, 모든 중생에게 대하여 환희심과 밝고 깨끗한 마음과 부드러운 마음과 자비한 마음과 사랑하는 마음과 거두어주는 마음과 이익케 하려는 마음과 안락케 하려는 마음과 가장 훌륭한 마음을 내고, 모든 선근으로 회향하느니라.

보살 마하살이 이러한 선근을 발하여 회향하나니, 우리들도 금일에 이같이 회향함을 배워서 마음으로 생각하고 입으로 말하기를, '내가 가진 회향의 공덕으로 모든 중생이 청정한 갈래를 얻고 청정한 생명을 얻어, 만족한 그 공덕을 일체 세간에서 능히 파괴할 이가 없고, 공덕과 지혜가 그지없으며, 신구의身口意 3업이 구족하게 장엄하여 항상 여러 부처님을 뵈옵고, 깨뜨릴 수 없는 신심으로 정법을 듣고 모든 의심을 여의며, 기억해 지니고 잊어버리지 아니하여 신구의 3념念이 청정하며, 마음이 항상 승묘한 선근에 머물고, 영원히 가난을 여의어 일곱 가지 재물이 충만하며, 모든 보살이 배우던 것을 배워 여러 가지 선근을 얻으며, 평등을 성취하여 묘한 해탈과 일체종지一切種智를 얻으며, 여러 중생이 자비한 눈을 얻으며, 몸이 청정하고 변재가 그지없고, 선근을 발기하여 물드는 마음이 없으며, 깊은 법에 들어가 모든 중생을 거두어 머무름이 없는 곳에 부처님과 같이 머물며, 회향하는 모든 일이 시방의 보살 마하살의 회향하는 바와 같아서, 광대하기 법성法性과 같으며, 구경에 허공과 같아 지이다.' 할지니라.

원컨대 저희들도 이러한 소원을 성취하여 보리원을 만족하며, 4생 6도도 모두 소원이 뜻과 같기를 원하오며,

거듭 정성을 더하여 5체투지하고 세간의 대자대비하신 부처님께 귀의하나이다.

지심귀명례 미륵불 彌勒佛
지심귀명례 석가모니불 釋迦牟尼佛
지심귀명례 위덕불 威德佛
지심귀명례 견명불 見明佛
지심귀명례 선행보불 善行報佛
지심귀명례 선희불 善喜佛
지심귀명례 무우불 無憂佛
지심귀명례 보명불 寶明佛
지심귀명례 위의불 威儀佛
지심귀명례 요복덕불 樂福德佛
지심귀명례 공덕해불 功德海佛
지심귀명례 진상불 盡相佛
지심귀명례 단마불 斷摩佛
지심귀명례 진마불 盡摩佛
지심귀명례 과쇠도불 過衰道佛

지심귀명례 불괴의불 不壞意佛

지심귀명례 수왕불 水王佛

지심귀명례 정마불 淨摩佛

지심귀명례 중상왕불 衆上王佛

지심귀명례 애명불 愛明佛

지심귀명례 복등불 福燈佛

지심귀명례 보리상불 菩提相佛

지심귀명례 지음불 智音佛

지심귀명례 상정진보살 常精進菩薩

지심귀명례 불휴식보살 不休息菩薩

지심귀명례 무변신보살 無邊身菩薩

지심귀명례 관세음보살 觀世音菩薩

또, 시방의 다함없는 모든 3보께 귀의 하옵나니, 원컨대 자비하신 힘으로 가피하시고 섭수하사 회향하는 마음으로 구족히 성취케 하소서. 저희들이 만일 한량없는 대죄업을 갖추어서 무량 변고한 고초를 받으며, 악도 중에서 능히 벗어나지 못하며, 금일의 보리심 발한 것을 어기고 보리행을 어기며 보리원을 어기게 되거든, 시방의 지위가 높은 보살과 일체 성인이 자비심으로 본래의 서원을 어기지 마시고 저희들을 도우사 3악도 중에서 중생들을 구제하여 해탈을 얻게 하되, 서원코 괴롭다고 해서 중생을 여의지 말게 하며, 나를 위하여 무거운 짐을 짊어지고, 평등한 원을 만족하고, 일체중생의 생로병사와 근심과 괴로움과 무량한 액난을 제도하여 중생들이 모두 청정케 하며, 선근을 구족하고 끝내는 해탈케 하며, 모든 악마의 무리를 여의고 악지식을 멀리하게 하며, 선지식과 참된 권속을 친근하여 정법을 성취하며, 모든 고통을 멸하고 보살의 무량한 행원을 구족하며, 부처님을 뵈옵고 환희하여 일체지一切智를 얻고는 다시 일체중생을 제도케 하여 지이다.

37. 발원 發願

오늘 이 도량의 동업대중이여, 이미 회향을 발하였으니, 다음은 마땅히 이러한 원을 발할지니라. 대개 모든 악의 일어남이 다 6근으로 말미암느니라. 6근은 모두 화禍의 근본이지만, 또한 무량한 복업福業을 일으키나니, 그러므로 승만경에 말하기를, '6근을 수호하여 몸과 입과 뜻을 깨끗이 하면, 이런 뜻으로 선근을 생기게 하는 근본이 된다.' 하였으니, 그러므로 6근에 대하여 큰 서원을 발할 것이니라.

1) 안근眼根의 원을 발함

원컨대, 오늘 이 도량의 동업대중과 시방의 4생 6도의 일체중생들이 오늘부터 보리에 이르도록, 눈으로는 만족할 줄을 모르는 탐욕의 삿되고 헛된 대상을 항상 보지 않으며, 아첨하고 왜곡하고 망령된 세계를 보지 않으며, 검고 누르고 붉고 연두색 등, 사람을 의혹케 하는 빛을 보지 않으며, 성내어 싸우는 추잡한 것을 보지 않으며, 때리고 성가시고 남을 해롭게 하는 것을 보지 않으며, 중생을 도살하고 상해하는 것을 보지 않으며, 우치하고 신용 없고 의혹케하는 것을 보지 않으며, 겸손하지 않고 조심성 없는 교만한 것을 보지 않으며, 96종의 삿된 소견을 보지 않고, 오직 일체중생이 오늘부터 항상 10방에 상주하는 법신의 담연湛然한 빛을 눈으로 보며, 32상의 자금색신을 보며, 80종호의 빛을 보며, 모든 하늘과 신선이 보배를 받들고 와서 꽃처럼 뿌리는 것을 보며, 입으로 5색의 광명을 내어 설법하여 제도하는 것을 보며, 분신을 나투어 시방에 가득 차는 것을 보며, 모든 부처님이 육계肉髻의 광명을 놓아 인연 있는 이들이 와서 모이는 것을 보며, 시방의 보살·벽지불·아라한 등, 여러 성현을 보며, 모든 중생과 권속들이 함께 부처님을 관하는 것을 보며, 거짓이 없는 모든 선한 일을 보며, 각지覺支의 깨끗한 경계를 보며, 묘한 해탈의 경계를 보며, 금일 이 도량의 대중이 환희하여 법을 찬탄하고 정대頂戴하는 광경을 보며, 4부 대중이 둘러앉아 법문 듣고 우러러보는 광경을 보며, 보시·지계·인욕·정진의 모든 경계를 보며, 고요하게 생각하고 지혜를 닦는 모든 것을 보며, 일체중생이 무생법인을 얻어 수기를 받고 환희하는 것을 보며, 모든 중생이 금강혜金剛慧에 올라서 무명을 끊고 보처補處

에 이르는 것을 보며, 모든 이들이 법의 흐름에 목욕하고 물러나지 않는 것을 보아지이다. 이미 안근의 원을 발하였으니, 함께 지성으로 5체투지하고 세간의 대자대비하신 부처님께 귀의하나이다.

지심귀명례 미륵불 彌勒佛
지심귀명례 석가모니불 釋迦牟尼佛
지심귀명례 선멸불 善滅佛
지심귀명례 범상불 梵相佛
지심귀명례 지희불 智喜佛
지심귀명례 신상불 神相佛
지심귀명례 여중왕불 如衆王佛
지심귀명례 지지불 持地佛
지심귀명례 애일불 愛日佛
지심귀명례 라후월불 羅睺月佛
지심귀명례 화명불 華明佛
지심귀명례 약사상불 藥師上佛
지심귀명례 지세력불 持勢力佛

지심귀명례 복덕명불 福德明佛

지심귀명례 희명불 喜明佛

지심귀명례 호음불 好音佛

지심귀명례 법자재불 法自在佛

지심귀명례 범음불 梵音佛

지심귀명례 묘음보살 妙音菩薩

지심귀명례 대세지보살 大勢至菩薩

지심귀명례 무변신보살 無邊身菩薩

지심귀명례 관세음보살 觀世音菩薩

또, 시방의 다함없는 모든 3보께 귀의 하옵나니, 원컨대 자비하신 힘으로 가피하고 두호하사 저희들로 하여금 소원과 같이 되어 보리원을 원만히 이루게 하여 지이다.

2) 이근耳根의 원을 발함

원컨대, 오늘 이 도량의 동업대중과 시방의 4생 6도의 일체중생들이 오늘부터 보리에 이르도록 항상 통곡하고 수심하여 슬프게 우는 소리를 귀로 듣지 않으며, 무간지옥에서 고통 받는 소리를 듣지 않으며, 확탕지옥鑊湯地獄·뇌비雷沸지옥의 신음하는 소리를 듣지 않으며, 도산지옥·검수지옥에서 칼로 찢고 베는 소리를 듣지 않으며, 18지옥의 간격바다 한량없이 괴로워하는 소리를 듣지 않으며, 아귀들이 굶주리고 답답하여 먹을 것을 찾아도 얻지 못하는 소리를 듣지 않으며, 아귀들이 행동할 때 뼈마디마다 불이 타올라 5백 수레가 굴러가듯 하는 소리를 듣지 않으며, 5백 유순의 축생들의 몸을 수없는 벌레들이 빨아먹어 고통 하는 소리를 듣지 않으며, 빚을 지고 갚지 못하여 약대·나귀·말·소로 태어나서 무거운 짐을 지고 채찍을 맞으면서 고통 받는 소리를 듣지 않으며, 사랑하는 것을 떠나게 되고 미운 것을 만나게 되는 따위의 여덟 가지 고통 받는 소리를 듣지 않으며, 4백4 병으로 앓는 소리를 듣지 않으며, 여러 가지 나쁘고 착하지 못한 소리를 듣지 않으며, 사람을 현혹시키는 종·방울·소라·북·거문고·비파와 공후 따위의 소리를 듣지 않고, 오직 모든 중생이 오늘부터 항상 부처님이 설법하는 여덟 가지 음성만을 귀로 들으며, 무상하고 괴롭고 공空하고 내가 없다는 소리만 들으며, 8만4천의 바라밀 소리만 들으며, 모든 법은 이름만 있을 뿐 거짓이어서 성품이 없다는 소리만 들으며, 부처님이 1음音으로 설법하면 각각 깨닫는 소리만 들으며, 일체중생이 다 불성이 있어 법신이 항상 머물러 멸하지 않는 소리만 들으며, 10지 보살이 인욕하고 정진하는 소리만 들으며, 무생無生의 깨달음을 얻고 부처님 지혜에 들어가 3계를 뛰어넘는 소리만 들으며, 법신보살들이 법의 흐름에 들어가 진眞과 속俗을 함께 관하여 생각마다 만행을 구족하는 소리만 들으며, 시방의 벽지불과 아라한의 4과果의 소리만 들으며, 제석천이 여러 천인들을 위하여 반야경을 설하는 소리만 들으며, 10지의 보처補處에 있는 보살이 도솔천궁에서 물러나지 않는 지위의 법과 행을 설하는 소리만 들으며, 모든 선이 함께 돌아가 부처가 된다는 소리만 들으며, 일체중생이 능히 10선을 행함을 찬탄하고 따라 기뻐하는 부처님들의 소리만 들으며, 모든 중생들로 하여금, '착하도다. 이 사람이 멀지 않아 성불하리라.' 고 찬탄하시는 부처님의 소리만 듣게 하소서.

이미 이근의 원을 발하였으니 서로 지극한 마음으로 5체투지하고 다시 세간의 대자대비하신 부처님께 귀의하나이다.

지심귀명례 미륵불 彌勒佛

지심귀명례 석가모니불 釋迦牟尼佛

지심귀명례 선업불 善業佛

지심귀명례 의무류불 意無謬佛

지심귀명례 대시불 大施佛

지심귀명례 명찬불 明讚佛

지심귀명례 중상불 衆相佛

지심귀명례 덕유포불 德流布佛

지심귀명례 세자재불 世自在佛

지심귀명례 덕수불 德樹佛

지심귀명례 단의불 斷疑佛

지심귀명례 무량불 無量佛

지심귀명례 선월불 善月佛

지심귀명례 무변변상불 無邊辯相佛

지심귀명례 보월보살 寶月菩薩

지심귀명례 월광보살 月光菩薩

지심귀명례 무변신보살 無邊身菩薩

지심귀명례 관세음보살 觀世音菩薩

또, 시방의 다함없는 모든 3보께 귀의 하옵나니, 자비하신 힘으로 가피하고 섭수하사 저희 제자들의 이러한 원을 이루며 보리원이 만족케 하여지이다.

3) 비근鼻根의 원을 발함

또 원컨대, 오늘 이 도량의 동업대중과 시방의 4생 6도의 일체중생이 오늘부터 보리에 이르도록 코로는 항상 살생하여 만든 맛 나는 음식의 냄새를 맡지 아니하며, 사냥하거나 불을 놓아 중생을 살해하는 냄새를 맡지 아니하며, 중생을 삶거나 굽거나 찌거나 볶는 냄새를 맡지 아니하며, 사람의 몸 속에 있는 서른

여섯 가지 더러운 것의 냄새를 맡지 아니하며, 명주·비단·항라·갑사 등 사람을 현혹케 하는 냄새를 맡지 아니하며, 지옥에서 가죽을 벗기고 찢고 볶고 찌는 냄새를 맡지 아니하며, 아귀가 굶주리고 목말라 똥·오줌·고름·피를 먹는 냄새를 맡지 아니하며, 축생의 비리고 누리고 부정한 냄새를 맡지 아니하며, 병들어 자리에 누웠으나 간호하는 사람은 없고 등창이 터져서 나는, 가까이 갈 수 없는 냄새를 맡지 아니하며, 똥과 오줌의 더러운 냄새를 맡지 아니하며, 송장이 붓고 썩어서 구더기가 생기고 시체에서 흐르는 물의 냄새를 맡지 아니하며, 원컨대 대중과 6취 중생이 오늘부터 코로는 항상 시방세계의 우두전단牛頭栴檀의 향기를 맡으며, 우담바라의 5색 꽃 향기를 맡으며, 환희원歡喜園에 있는 여러 꽃나무의 향기를 맡으며, 도솔천궁에서 설법하는 때의 향기를 맡으며, 묘법당상妙法堂相에서 유희할 때의 향기를 맡으며, 시방 중생들이 5계戒와 10선과 6념을 행하는 향기를 맡으며, 일곱 가지 방편의 사람(칠방편인七方便人: 도를 깨닫기 전의 세 가지 어진 이의 지위와 네 가지 선근을 가진 이의 지위 등 일곱)이 행하는 모든 16행行의 향기를 맡고, 시방의 벽지불·아라한의 모든 덕의 향기를 맡고, 사향사과四向四果의 사람이 무루를 얻는 향기를 맡고, 무량한 보살의 환희지歡喜地·이구지離垢地·발광지發光地·염혜지燄慧地·난승지難勝地·현전지現前地·원행지遠行地·부동지不動地·선혜지善慧地·법운지法雲地의 향기를 맡으며, 여러 성인의 계향·정향·혜향·해탈향·해탈지견향 등 5분법신의 향기를 맡으며, 모든 부처님의 보리의 향기를 맡으며, 37도품과 12인연과 6바라밀의 향기를 맡으며, 대비·3념·10력·4무소외無所畏·18불공의 향기를 맡고, 8만4천 바라밀의 향기를 맡고, 시방의 무량하고 지극히 오묘한 법신이 상주하는 향기를 맡게 하여 지이다.

이미 비근의 원을 발하였으니 서로 지성으로 5체투지하고 세간의 대자대비하신 부처님께 귀의하나이다.

지심귀명례 미륵불 彌勒佛

지심귀명례 석가모니불 釋迦牟尼佛
지심귀명례 이타법불 梨陀法佛
지심귀명례 응공양불 應供養佛
지심귀명례 도우불 度憂佛
지심귀명례 요안불 樂安佛
지심귀명례 세의불 世意佛
지심귀명례 애신불 愛身佛
지심귀명례 묘족불 妙足佛
지심귀명례 우발라불 優鉢羅佛
지심귀명례 화영불 華纓佛
지심귀명례 무변변광불 無邊辯光佛
지심귀명례 신성불 信聖佛
지심귀명례 덕정진불 德精進佛
지심귀명례 묘덕보살 妙德菩薩
지심귀명례 금강장보살 金剛藏菩薩
지심귀명례 무변신보살 無邊身菩薩
지심귀명례 관세음보살 觀世音菩薩

또, 시방의 다함없는 모든 3보께 귀의 하옵나니, 원컨대 자비하신 힘으로 가피하고 섭수하사 저희들로 하여금 소원을 이루며 보리원을 만족케 하여 지이다.

4) 설근舌根의 원을 발함

또 원컨대, 오늘 이 도량의 동업대중과 시방의 4생 6도의 일체중생이 이제부터 보리에 이르도록 혀로는 항상 모든 중생의 몸을 살상殺傷한 맛을 맛 보지 않으며, 스스로 죽은 모든 것의 맛을 맛 보지 않으며, 중생들의 골수와 피의 맛을 맛 보지 않으며, 원수가 상대자에게 독약을 섞은 것의 맛을 맛 보지 않으며, 탐애貪愛와 번뇌를 생기게 하는 맛을 맛 보지 않고, 항상 감로로 된 백 가지 아름다운 맛을 맛 보며, 여러 하늘에 자연히 피는 음식을 맛 보며, 향적 세계의 향기로운 밥을 맛 보며, 부처님들이 잡수시는 맛을 맛 보며, 법신의 계戒와 정定과 혜慧로 훈수한 음식을 맛 보며, 법희法喜와 선열禪悅의 맛을 맛 보며, 무량한 공덕으로 혜명慧明을 자양하는 화평한 맛을 맛 보며, 해탈의 일미一味의 맛을 맛 보며, 여러 부처님의 열반의 낙樂인 최상의 맛을 맛 보게 하소서.

이미 설근의 원을 발하였으니, 서로 지극한 정성으로 5체투지하고 세간의 대자대비하신 부처님께 귀의하나이다.

지심귀명례 미륵불 彌勒佛

지심귀명례 석가모니불 釋迦牟尼佛

지심귀명례 진실불 眞實佛

지심귀명례 천주불 天主佛

지심귀명례 요고음불 樂高音佛

지심귀명례 신정불 信淨佛

지심귀명례 바기라타불 婆耆羅陀佛

지심귀명례 복덕의불 福德意佛

지심귀명례 염치불 燄熾佛

지심귀명례 무변덕불 無邊德佛

지심귀명례 취성불 聚成佛

지심귀명례 사자유불 師子遊佛
지심귀명례 부동불 不動佛
지심귀명례 신청정불 信淸靜佛
지심귀명례 허공장보살 虛空藏菩薩
지심귀명례 살타파륜보살 薩陀波崙菩薩
지심귀명례 무변신보살 無邊身菩薩
지심귀명례 관세음보살 觀世音菩薩

또, 시방의 다함없는 모든 3보께 귀의 하옵나니, 원컨대 자비하신 힘으로 애민하여 두호하사 저희들의 소원을 이루어 보리원을 만족케 하여 지이다.

5) 신근身根의 원을 발함

또, 원컨대, 오늘 이 도량의 동업대중과 시방의 4생 6도의 일체중생이 오늘부터 보리에 이르도록, 몸으로는 항상 5욕으로 삿되게 아첨하는 감촉을 느끼지 않으며, 확탕지옥·노탄지옥·한빙지옥의 감촉을 느끼지 않으며, 아귀들의 머리에 불이 타고, 구리물을 입에 부어서 볶고 타는 감촉을 느끼지 않으며, 축생들의 가죽을 벗기고 살을 찢어 고통 받는 감촉을 느끼지 않으며, 사백네 가지의 병의 모든 괴로운 감촉을 느끼지 않으며, 매우 뜨겁고 매우 차가워 견디기 어려운 감촉을 느끼지 않으며, 모기 · 등에 · 벼룩 · 이 따위의 감촉을 느끼지 않으며, 칼 · 작대기 · 독약 등으로 해롭게 하는 감촉을 느끼지 않으며, 목마르고 배고픈 괴로움의 모든 감촉을 느끼지 아니하고, 원컨대 항상 제천의 좋은 의복의 감촉을 느끼며, 자연으로 되는 감로의 감촉을 느끼며, 청량하여 차지도 덥지도 않은 감촉을 느끼며, 굶주리지도 목마르지도 않고 병도 없고 괴로움도 없어 강건한 감촉을 느끼며, 칼과 채찍 등의 고초가 없는 감촉을 느끼며, 누워도 편안하고 깨어도 편안하여 근심 걱정이 없는 감촉을 느끼며, 시방의 부처님 정토의 서늘한 바람이 몸에 부는 감촉을 느끼며, 시방의 부처님 정토의 7보 못에서 몸과 마음을 씻는 감촉을 느끼며, 생로병사의 괴로움이 없는 감촉을 느끼며, 비행 자재하여 보살들과 함께 법문을 듣는 감촉을 느끼며, 부처님 열반의 여덟 가지 자재한 감촉을 느끼게 하소서.

이미 신근의 원을 발하였으니, 서로 지극한 마음으로 5체 투지하고 세간의 대자대비하신 부처님께 귀의하나이다.

지심귀명례 미륵불 彌勒佛

지심귀명례 석가모니불 釋迦牟尼佛

지심귀명례 행명불 行明佛

지심귀명례 용음불 龍音佛

지심귀명례 지륜불 持輪佛

지심귀명례 재성불 財成佛

지심귀명례 세애불 世愛佛

지심귀명례 법명불 法名佛

지심귀명례 무량보명불 無量寶明佛

지심귀명례 운상불 雲相佛

지심귀명례 혜도불 慧道佛

지심귀명례 묘향불 妙香佛

지심귀명례 허공음불 虛空音佛

지심귀명례 허공불 虛空佛

지심귀명례 월삼계보살 越三界菩薩

지심귀명례 발타바라보살 跋陀婆羅菩薩

지심귀명례 무변신보살 無邊身菩薩

지심귀명례 관세음보살 觀世音菩薩

또, 시방의 다함없는 모든 3보께 귀의 하옵나니, 원컨대 자비하신 힘으로 두호하고 섭수하사 저희들의 소원을 이루고 보리원을 만족케 하여 지이다.

6) 의근意根의 원을 발함

또 원컨대, 오늘 이 도량의 동업대중과 시방의 4생 6도의 일체중생이 오늘부터 보리에 이르도록 뜻으로는 항상 탐욕과 진심과 우치가 근심거리가 됨을 알며, 살생·투도·음행·망어·기어·양설·악구가 근심거리가 됨을 알며, 아버지와 어머니와 아라한을 죽인 것과 부처님 몸에서 피를 흘리게 한 것과 승단僧團의 화합을 깨뜨린 것과 3보를 비방함과 인과를 믿지 않음이 무간지옥의 죄임을 알며, 사람이 죽으면 다시 나는 보응報應의 법을 알며, 악지식을 멀리하고 선지식을 친근할 줄 알며, 96종의 삿된 법이 그른 줄을 알며, 3루漏와 5개蓋와 10전纏의 법이 장애가 되는 줄을 알며, 3악도가 무서운 줄을 알고 생사를 혹독한 고통으로 갚는 곳인 줄을 알고, 원컨대 항상 일체중생이 모두 불성이 있음을 알며, 모든 부처님이 대자 대비한 아버지이며 위가 없는 의사이며, 일체 존법尊法이 중생의 병에 대한 좋은 약이며, 일체 성현이 여러 중생의 병을 간호하는 어머니임을 알며, 3보에 귀의하고 5계를 받고 10선을 행함이 천상 인간의 수승한 과보임을 알며, 생사를 면하지 못하였거든 일곱 가지 방편과 난위(煗位: 네 가지 선근 중의 제 1, 즉 유루有漏의 선근을 낳는 지위), 정위(頂位: 네 가지 선근 중 제 2, 즉 불안정한 선근 중 최고로서 지옥에 떨어져도 선근이 끊이지 않는 지위) 등의 법을 닦아야 할 줄을 아며, 무루無漏의 고인苦忍 16성심聖心을 행하되 먼저 16행관行觀을 닦고 4진제眞諦를 관함을 알며, 4제가 평등 무상無相하므로 4과를 이루는 줄 알며, 총상總相과 별상別相이 일체종지의 법임을 알며, 12인연이 3세의 인과로서 바퀴 돌듯 쉬지 아니함을 알며, 6바라밀과 8만의 모든 행을 수행할 줄을 알며, 8만4천의 번뇌를 끊을 줄을 알며, 무생을 체달하여 생사를 끊어야 할 줄을 알며, 10주住의 계품階品을 차례로 구족할 줄을 알며, 금강심으로 무명을 끊고, 무상과無想果를 증할 줄을 알며, 체體가 궁극에 이르면 한번 비침으로 만덕이 원만히 갖추어지고, 모든 누累가 다 없어져서 대열반을 이룸을 알며, 불지佛地의 10력과 4무소외無所畏와 18불공법不共法과 무량한 공덕과 무량한 지혜와 무량한 선법을 알게 하소서.

이미 의근의 원을 발하였으니, 지극한 마음으로 5체투지하고 세간의 대자대비하신부처님께 귀의하나이다.

지심귀명례 미륵불 彌勒佛

지심귀명례 석가모니불 釋迦牟尼佛

지심귀명례 천왕불 天王佛

지심귀명례 주정불 珠淨佛

지심귀명례 선재불 善財佛

지심귀명례 등염불 燈焰佛

지심귀명례 보음성불 寶音聲佛

지심귀명례 인주왕불 人主王佛

지심귀명례 라후수불 羅睺守佛

지심귀명례 안은불 安隱佛

지심귀명례 사자의불 師子意佛

지심귀명례 보명문불 寶名聞佛

지심귀명례 득리불 得利佛

지심귀명례 편견불 徧見佛

지심귀명례 마명보살 馬鳴菩薩

지심귀명례 용수보살 龍樹菩薩

지심귀명례 무변신보살 無邊身菩薩

지심귀명례 관세음보살 觀世音菩薩

또, 시방의 다함없는 모든 3보께 귀의 하옵나니, 원컨대 자비하신 마음으로 애민히 여기시고 두호하여 섭수하사 저희들의 소원을 이루고 보리원이 만족케 하여 지이다.

7) 구원口願을 발함

또 원컨대, 오늘 이 도량의 동업대중과 시방의 4생 6도의 일체중생이 오늘부터 보리에 이르도록 입으로 항상 3보를 훼방하지 말며, 법을 널리 펴는 사람을 비방하여 그 허물을 말하지 말며, 선한 일을 하여도 즐거운 과보를 받지 못하고 나쁜 일을 하여도 괴로운 과보를 받지 않는다고 말하지 말며, 사람이 죽으면 단멸斷滅하여 다시 태어나지 않는다고 말하지 말며, 남을 해롭게 하는 이익이 없는 일을 말하지 말며, 삿된 소견을 가진 외도가 지은 경전을 말하지 말며, 사람으로 하여금 10악업을 짓게 하지 말며, 사람으로 하여금 5역죄를 짓게 하지 말며, 남의 악을 드러내지 말며, 세속에서 부질없이 희롱하고 우스개하는 일을 말하지 말며, 사람으로 하여금 삿된 스승이나 귀신을 편벽되이 믿게 하지 말며, 인물의 좋고 나쁜 것을 평론하지 말며, 부모와 스승과 어른과 선지식을 꾸짖지 말며, 사람에게 악을 지으라 권하지 말며, 사람의 복 짓는 일을 끊지 말고, 입으로 항상 3보를 찬탄하며, 법을 널리 펴는 사람을 찬탄하고, 그 공덕을 말하여 사람들에게 선과 악의 과보를 보이며, 깨달은 사람은 몸이 죽어도 신명神明은 멸하지 않음을 말하며, 선한 말을 하여 사람을 이익케 하며, 여래의 12부경部經을 말하며, 일체중생이 불성이 있으므로 상常·낙樂·아我·정淨을 얻는다 말하며, 사람들로 하여금 부모에게 효도하고 스승과 어른을 공경하게 하며, 사람에게 3보에 귀의하도록 권하여 5계와 6념을 받아 지니게 하며, 경전을 독송함을 찬탄하여 선한 일을 말하며, 사람들로 하여금 선지식을 가까이하고 악지식을 멀리하게 하며, 10주住와 불지佛地의 무량한 공덕을 말하며, 사람들로 하여금 정토의 행을 닦아서 위없는 과를 장엄케 하며, 사람들로 하여금 3보를 예경케 하며, 사람들로 하여금 불상을 건립하고 공양을 받들게 하며, 사람들로 하여금 선한 일 하기를 머리에 붙은 불을 끄듯 하게하며, 사람들로 하여금 궁핍하고 괴로워하는 이를 구제하되 쉬지 않게 하여 지이다.

이미 구원을 발하였으니, 서로 지극한 마음으로 5체 투지하고, 세간의 대자대비하신 부처님께 귀의하나이다.

지심귀명례 미륵불 彌勒佛

지심귀명례 석가모니불 釋迦牟尼佛

지심귀명례 세화불 世華佛

지심귀명례 고정불 高頂佛

지심귀명례 무변변재성불 無邊辨才成佛

지심귀명례 차별지견불 差別知見佛

지심귀명례 사자아불 師子牙佛

지심귀명례 이타보불 梨陀步佛

지심귀명례 복덕불 福德佛

지심귀명례 법등개불 法燈蓋佛

지심귀명례 목건련불 目揵連佛

지심귀명례 무우국불 無憂國佛

지심귀명례 의사불 意思佛

지심귀명례 요보리불 樂菩提佛

지심귀명례 사자유희보살 師子遊戲菩薩

지심귀명례 사자분신보살 師子奮迅菩薩

지심귀명례 무변신보살 無邊身菩薩

지심귀명례 관세음보살 觀世音菩薩

또, 시방의 다함없는 모든 3보께 귀의 하옵나니, 원컨대 자비하신 힘으로 두호하고 섭수하사 저희들로 하여금 소원을 이루고 보리원을 만족케 하여 지이다.

8) 제행법문 諸行法門

또 원컨대, 시방의 다함없는 법계의 4생 6도의 중생들이 지금 발원한 후부터 각각 모든 행의 법문을 구족하되, 3보를 굳게 믿고 공경하는 법문과, 의혹을 품지 않은 견고한 법문과, 나쁜 짓을 끊으려는 참회의 법문과, 청정하려고 뉘우치는 법문과, 3업을 훼방하지 않는 호신護身의 법문과, 네 가지 일을 깨끗이 하려는 호구護口의 법문과, 마음을 쉬고 청정하려는 호의護意의 법문과, 소원을 구족하는 보리의 법문과, 일체를 상해하지 않은 비심悲心의 법문과, 교화하여 덕을 세우는 자심慈心의 법문과, 다른 이를 헐뜯지 않는 환희의 법문과, 남을 속이지 않는 지성至誠의 법문과, 3악도를 없애려는 3보의 법문과, 마침내 허망하지 않는 진실의 법문과, 나와 남이 교만하지 않고 해害를 버리는 법문과, 미루지 않고 끊고 맺는 법문과, 투쟁할 뜻을 끊는 무쟁無諍의 법문과, 받들어 행하기를 평등히 하는 응정應正의 법문을 구족케 하여 지이다.

또, 원컨대, 중생이 이같이 무량한 법문을 구족할진대, 심취心趣의 법문으로 마음이 환술과 같음을 관하며, 의단意斷의 법문으로 선하지 않은 근본을 버리며, 신족神足의 법문으로 몸과 마음이 가볍고 편하며, 신근信根의 법문으로 물러가는 바퀴를 원치 않으며, 진근進根의 법문으로 선한 수레를 버리지 않으며, 염근念根의 법문으로 도업道業을 지으며, 정근定根의 법문으로 정도正道에 마음을 두며, 혜근慧根의 법문으로 무상하고 공함을 관하며, 신력信力의 법문으로 마군의 위세를 초월하며, 진력進力의 법문으로 한번 가고는 돌아오지 않으며, 염력念力의 법문으로 조금도 잊어버리지 않으며, 정력定力의 법문으로 모든 망상을 멸하며, 혜력慧力의 법문으로 주선하고 왕래하며, 진각進覺의 법문으로 불도를 행하며, 정정正定의 법문으로 삼매를 얻으며, 정성淨性의 법문으로 다른 승承을 즐기지 않으며, 모든 중생이 모두 보살 마하살의 이러한 1백8의 법문을 구족하여 불토를 청정케 하며, 간탐한 이를 권하여 여러 가지 악한 8난에 있는 이를 제도케 하며, 다투고 성내는 사람을 섭수하여 선한 일을 부지런히 행하게 하며, 게으른 이를 거두어 선정의 뜻과 신통으로 생각이 산란함을 섭수하소서.

이미 발원하였으니, 서로 지성으로 5체투지하고 세간의 대자대비하신 부처님께 귀의하나이다.

지심귀명례 미륵불 彌勒佛
지심귀명례 석가모니불 釋迦牟尼佛
지심귀명례 법천경불 法天敬佛
지심귀명례 단세력불 斷勢力佛

지심귀명례 극세력불 極勢力佛

지심귀명례 혜화불 慧華佛

지심귀명례 견음불 堅音佛

지심귀명례 안락불 安樂佛

지심귀명례 묘의불 妙義佛

지심귀명례 애정불 愛淨佛

지심귀명례 참괴안불 慚愧顏佛

지심귀명례 묘계불 妙髻佛

지심귀명례 욕락불 浴樂佛

지심귀명례 누지불 樓至佛

지심귀명례 약왕보살 藥王菩薩

지심귀명례 약상보살 藥上菩薩

지심귀명례 무변신보살 無邊身菩薩

지심귀명례 관세음보살 觀世音菩薩

또, 시방의 다함없는 모든 3보께 귀의 하옵나니, 원컨대 자비하신 힘으로 구호하고 섭수하사 3계의 4생 6도 중생으로 하여금 지금 자비도량참법에서 발심하고 발원한 공덕의 인연으로 각각 공덕과 지혜를 구족하고 신통력으로 마음을 따라 자재케 하여 지이다.

38. 촉루 囑累

오늘, 이 도량의 동업 대중이여, 이미 6도 4생의 중생들을 위하여 서원을 발하였으니, 다음은 중생들을 모든 대보살에게 부촉할지니라.

원컨대 자비심으로 가피하고 섭수하소서. 지금 참회하고 발원한 공덕 인연과, 또 자비의 염력念力으로 일체중생이 모두 가장 높은 복전을 구하여 깊은 신심으로 부처님께 보시하고 무량한 과보를 얻으며, 일체중생이 일심으로 부처님께 향하여 무량하고 청정한 과보를 얻으며, 원컨대 일체중생이 부처님 처소에 있게 하고, 간탐하는 마음이 없고, 보시를 구족하여 아끼는 것이 없으며, 또 원컨대 일체중생이 부처님 계신 곳에서 가장 높은 복전을 닦아 2승의 원을 여의고 보살도를 행하여 여래의 걸림 없는 해탈과 일체종지를 얻으며, 또 일체중생이 부처님 계신 곳에서 무지한 선근을 심고, 부처님의 무량한 공덕과 지혜를 얻으며, 또 일체중생이 깊은 지혜를 섭취하여 청정하고 위가 없는 지혜를 구족하며, 또 일체중생이 다니는 곳마다 자재하여 여래의 일체 처에 이르시는 무애한 위신력을 얻으며, 또 일체중생이 대승을 섭취하여 무량한 종지種智를 얻고, 평안히 머물러 동하지 않으며, 또 일체중생이 제일의 복전을 구족히 성취하여 모두가 일체지지(一切智地: 모든 것을 다 아는 지혜. 또 그러한 지위. 부처님 지혜의 다른 이름)를 낳고, 또 일체중생이 모든 부처님에게 원망하는 마음이 없고, 선근을 심어 부처님 지혜를 구하며, 또 일체중생이 묘한 방편으로 장엄된 모든 부처님 세계에 가서, 1념 중에 법계에 깊이 들어가되 고달픔이 없으며, 또 일체중생이 무변한 몸을 얻고 시방세계에 두루 다니되 고달픔이 없으며, 또 일체중생이 광대한 몸을 성취하여 마음대로 다님을 얻으며, 모든 부처님의 신력으로 장엄함을 얻고 필경에 저 언덕에 이르며, 1념 중에 여래의 자재하신 신력을 나투어 허공계에 변만하게 하소서.

이미 이러한 큰 원을 발하였으니, 광대하기 법성과 같고, 구경에 허공과 같아 지이다. 원컨대 일체중생이 소원을 이루고 보리원을 만족케 하소서.

서로 지극한 마음으로 5체투지하오니, 만일 저희들이 괴로운 과보를 받아서 중생을 구제할 수 없거든, 이 모든 중생들을 헤아릴 수 없고 다함이 없는 법계의 무생법신보살과, 헤아릴 수 없고 다함이 없는 법계의 발심보살과, 정법을 일으킨 마명대사보살과, 상법像法을 일으킨 용수대사보살과, 시방의 다함없는 법계의 무변신보살과, 시방의 다함없는 법계의 관세음보살·문수사리보살·보현보살·사자유희보살·사자분신보살·사자번보살·사자작보살·견용정진보살·금강혜보살·기음개보살·적근보살·혜상보살·허공장보살·금강장보살·상정진보살·불휴식보살·묘음보살·묘덕보살·보월보살·월광보살·살타파륜보살·월삼계보살에게 부탁하나이다.

또, 이와 같은 시방의 다함없는 모든 보살에게 부탁

하옵나니, 원컨대 여러 보살 마하살은 본원의 힘과 중생을 제도하려는 힘으로 시방의 무궁무진한 일체중생을 섭수하시며, 모든 보살 마하살은 일체중생을 버리지 마시고, 선지식과 같이 분별하는 생각이 없으며, 일체중생이 보살의 은혜를 알고 친근하고 공양하게 하며, 모든 보살은 자민慈愍하고 섭수하여 중생들로 하여금 정직한 마음으로 보살을 따르고 멀리 떠나지 말게 하며, 일체중생이 보살의 가르침을 따라 위반하지 말게 하고, 견고한 마음을 얻으며, 선지식을 버리지 말고, 모든 때를 여의어 마음을 파괴하지 말며, 모든 중생들로 하여금 선지식을 위하여 신명을 아끼지 말고, 모든 것을 버려서 그 교화를 어기지 말게 하며, 모든 중생으로 하여금 대자대비를 수습하여 나쁜 것을 여의고 부처님의 정법을 듣고 모두 받아 지니게 하며, 모든 중생들로 하여금 보살들의 선근 업보와 같게 하고, 보살의 행과 원과 같게 하여 구경에 청정케 하며, 신통을 구족하여 뜻대로 자재하며, 대승을 의지하여, 내지 일체종지를 구족하되 그 중간에 게으름이 없으며, 지혜의 법을 의지하여 평안한 곳에 이르며, 무애한 법을 얻어 구경에 자재케 하소서.

3보에 귀의함으로부터 의심을 끊고 신심을 내며, 참회하고 발심하여 과보를 나타내고, 지옥에서 나오며, 원결을 풂고 스스로 기뻐하며, 발원하고 회향하며, 부탁하기에 이르기까지 지은 공덕을 모두 시방의 다함없는 모든 중생에게 보시하옵니다.

원컨대 미륵 세존이시여, 저희를 위하여 증명하시며, 시방의 모든 부처님께서는 애민하고 두호하여 참회하고 발원한 바를 다 성취케 하시며, 모든 중생은 자비하신 부처님과 함께 이 국토에 나서 첫 회에 참여하여 법문 듣고 도를 깨달으며, 공덕과 지혜를 모두 구족하고, 보살들과 같이 차별이 없이 금강심에 들어가 등정각을 이루게 하여 지이다.

찬불축원 讚佛祝願

다타아가도 아라하 삼먁삼불타시니, 10호를 구족하

시고 무량한 사람을 제도하사 생사고에서 빼어내시나이다. 지금 참회하고 예불한 공덕 인연으로 모든 중생이 각각 구족하게 소원을 이루고, 보리원을 만족케 하소서.

저희들이 오늘 발한 서원이 시방의 다함없는 모든 부처님과 대보살이 세우신 서원과 같사옵니다. 모든 부처님과 보살이 세우신 서원이 끝날 수 없기에 저희 소원도 그와 같아서 광대하기 법성과 같으며, 구경에 허공과 같으며, 미래제를 다하고 일체 겁이 끝나도록 중생이 다할 수 없으므로 저희 원도 다할 수 없으며, 세계를 다할 수 없으므로 저희 원도 다할 수 없으며, 허공을 다할 수 없으므로 저희 원도 다할 수 없으며, 법성을 다할 수 없으므로 저희 원도 다할 수 없으며, 열반을 다할 수 없으므로 저희 원도 다할 수 없으며, 부처님 출세를 다할 수 없으므로 저희 원도 다할 수 없으며, 모든 부처님의 지혜를 다할 수 없으므로 저희 원도 다할 수 없으며, 마음의 반연을 다할 수 없으므로 저희 원도 다할 수 없으며, 일어나는 지혜를 다할 수 없으므로 저희 원도 다할 수 없으며, 세간의 도종(道種: 불도의 종자)과 법의 도종道種과 지혜의 도종道種을 다할 수 없으므로 저희 원도 다할 수 없나니, 만일 이 열 가지를 다할 수 있다면 저희 원도 다할 수 있나이다.

3승의 거룩한 이들에게 일체의 예경을 올리나이다.

찬 讚

피로를 무릅쓰고 참례하여

부처님의 자비를 바라옵나니

6근의 원만한 서원이 여기 있어

모든 행을 굳게 지니며

보리에 회향하여

사람을 제도하는 스승에게 부탁하나이다.

나무 법운지보살마하살 法雲地菩薩摩訶薩(3번)

출참 出懺

10신의 상호 우뚝하고 뛰어나
움직이지 않는 자금산紫金山이시고
10호의 능인能仁 훤칠하여
원만한 벽옥碧玉의 모습이시니
신비한 기회 널리 응하고
미묘한 교화 방소方所가 없네.
장애 없는 광명을 펴서 뒷날의 불사를 증명하소서.
시방의 부처님께 정례하오며
10악의 허물을 뉘우쳐 없애고자 하나이다.
이제까지 뉘우쳐 없애고자 하는 저희들
자비도량참법을 수행하여 제10권을 다하였으니
선한 과보 뚜렷하나이다.
참회하는 단상에 등을 켜서 찬란하고
꽃을 흩어 장엄하며 차 드리고 과실 올려
공양하며 정성 드리오니 갖가지 공훈功勳을 펴며
간 곳마다 불사에 예경하나이다.
크고 정중한 마음으로 정성껏 회향하오니
시방의 부처님과 3장藏의 경전과

5안眼의 벽지불과 6신통의 아라한과
천상의 진인眞人과 지하地下의 성현과
수중水中의 현철과 양계陽界의 성인
4부를 모두 통하나니 무변한 심령이시여,
범부의 정성 살피시어 선한 인연 증명하소서.
참회하는 저희들 미세한 허물까지 씻어버리고
무변한 복리를 성취하려 하오니
바라옵건대
10사使의 번뇌를 없애고
10전纏의 얽힘을 벗어나며
10심心을 발하니 10원願이 만족하여
허공에 달이 명랑하듯,
10지를 수행하니 10장障이 끊어지고
보리 동산에 꽃이 핀 듯,
티끌마다 해탈의 문이 열리고
곳곳마다 진여의 작용이 드러나며
원수와 친한 이를 두루 요익하고
범부와 성인이 함께 의지하니

참회하는 좋은 인연 함께 받고
참되고 항상한 도를 같이 증득하나니
비록 미세한 글로 참회하나
가느다란 번뇌 다 없어지지 않을 듯
다시 여러분께 청하여
함께 참회를 구하나이다.

찬 讚

양황참 10권의 공덕으로
저희들과 망령의 10전纏의 죄가 소멸되고
보살의 법운지를 증득하며,
참문을 외우는 곳에 죄의 꽃이 스러지며,
원을 풀고 복이 더하여 도리천에 왕생하였다가
용화회상에서 다시 만나 수기를 받아 지이다.
나무 용화회보살마하살 龍華會菩薩摩訶薩(3번)

거찬 擧讚

양황참 제10권 모두 마치고
4은恩과 3유有에 회향하오니
참회하는 저희들은 수복이 증장하고
망령들은 정토에 왕생하여지이다.
법운지보살, 어여삐 여기사 거두어 주소서.
나무 등운로보살마하살 登雲路菩薩摩訶薩(3번)

부처님께 귀의할 때 바라오니 모든 중생
큰 도리를 이해하고 위없는 맘 내어지이다.

법보에게 귀의할 때 바라오니 모든 중생
3장 속에 깊이 들어 큰 지혜를 얻어지이다.

스님께 귀의할 때 바라오니 모든 중생
많은 대중 통솔하여 온갖 장애 없어 지이다.
모든 거룩한 이에게 예경하나이다.